M000302362

Love &
Solitude

Edith Södergran.

Edith
Södergran

Love &
Solitude

SELECTED POEMS
1916–1923

Bilingual Centennial Edition

Translated by
Stina Katchadourian

INTERNATIONAL POETRY SERIES NO. 1

Fjord Press · Seattle

Translator's dedication:

To the memory of my parents

Translation copyright © 1981, 1985, 1992 by Stina Katchadourian.
All rights reserved. No part of this book may be reproduced in any form,
except for brief reviews, without the written permission of the publisher.

Originally published in Finland by Holger Schildts Förlagsaktiebolag,
Helsinki, in *Samlade dikter*, 1949, edited by Gunnar Tideström.
Grateful acknowledgment is made to Åbo Akademis bildsamlingar, Åbo,
and the General Archive of the Swedish Literature Society of Finland,
Helsinki, for the use of photographs.

Published and distributed by:
Fjord Press
P.O. Box 16349
Seattle, Washington 98116
(206) 935-7376

Editors: Steven T. Murray & Tiina Nunnally
Cover design: Bonnie Smetts Design, Berkeley
Printed by McNaughton & Gunn on acid-free paper

Library of Congress Cataloging in Publication Data

Södergran, Edith, 1892–1923.
    [Samlade dikter. English. Selections]
    Love & solitude : selected poems, 1916–1923 / Edith Södergran :
translated by Stina Katchadourian. — Bilingual centennial edition, 3rd ed.
        p.   cm. — (International poetry series : no. 1)
    English and Swedish.
    Translation of: Samlade dikter.
    Includes bibliographical references and indexes.
    ISBN 0-940242-14-1 (pbk. : alkaline paper) : $10.95
    1. Södergran, Edith, 1892–1923 — Translations into English.
I. Katchadourian, Stina. II. Title. III. Title: Love and solitude.
IV. Series: International poetry series (Seattle, Wash.) : v. 1.
PT9875.S617A6   1992
839.7'172 — dc20   92-13509

Printed in the United States of America
Third edition, 1992

CONTENTS

PREFACE TO THE CENTENNIAL EDITION

It is a happy coincidence that this third, expanded edition of Edith Södergran's poems will be published in 1992 in honor of the centenary of her birth.

The poems in the first edition came mostly from Södergran's early and very late work. The second edition included more poems from her middle collections, *Septemberlyran* (The September Lyre) and *Rosenaltaret* (The Rose Altar). The expanded format of this third edition has allowed me to include an additional seven poems. Of these, three come from *Dikter* (In the Vast Forests, The Foreign Lands, Farewell); three from *Septemberlyran* (To a Young Woman, The Moon's Secret, Song from a Cloud); and one from *Rosenaltaret* (Where Do the Gods Live?).

All translators agree that there is no such thing as a final version. In the seven years that have elapsed since the second edition, I have sometimes wished that I had translated some words or phrases differently. With this edition, and with the blessing of my editors, I have made some changes. I feel convinced that Södergran, who spent the last months of her life translating Swedish poetry into German, would have had no trouble understanding this urge.

Edith Södergran 5 år.

INTRODUCTION

In 1923, Edith Södergran died in a remote village in eastern
Finland. Her brief life was full of hardship. She experienced
war at close hand. She knew what starvation meant. She lived
in the shadow of a killer disease for most of her life. The four
thin volumes of poetry that she published were met with
scorn, laughter, or indifference by critics and public alike.
And when she died, from tuberculosis and malnutrition, at
the age of thirty-one, she could count on the fingers of one
hand the number of her friends and supporters. Yet she could
write

> I raise my head. I have my secret. What could master me?
> I am unbroken, a hyacinth that cannot die.
> I am a spring flower with pink bells
> rising full of earth's carefree triumph:
> to live unsurpassed, certain, without resistance in the world.

She exited life a survivor, her joy intact, her belief in the
value of her poetry unshaken. And time has proven her right:
unlike many poets of her generation, Edith Södergran has not
faded. Her place in Scandinavian literature is secure: her
poetry continues to influence and inspire, to be quoted, put to
music, recited, anthologized, re-issued, analyzed — and trans-
lated. In her best poems, she speaks with a lyrical purity and a
power that continues to win her new readers even outside of
the Swedish language in which she wrote.

Edith Södergran wrote in Swedish, because she belonged to
the Swedish-speaking minority in Finland, which traces its
origins back to the twelfth century. At the time of her birth,
the Swedish-speaking Finns constituted around twelve percent
of the country's population. They have evolved a clear cul-
tural identity: they are not Swedes, although their language is

Swedish. They feel that Finland is their country. But Edith Södergran's linguistic situation is even more complicated. In 1809, Sweden lost its Finnish territory to Russia, and Finland became a Grand Duchy under the tsar. Edith Södergran was born in St. Petersburg in 1892.

In the cosmopolitan St. Petersburg of the turn of the century, Edith used Swedish only at home. Her knowledge of Swedish literature was limited. She enrolled in a fashionable German school, where she also studied French and Russian. Her first attempts at writing poetry — beginning when she was fourteen — were in German: some two hundred poems in rhymed Heine-style stanzas. At that time, it seemed highly unlikely that her name one day would be associated with a new direction for poetry written in Swedish.

But Fräulein Södergran's life as a relatively well-to-do young lady — winters in St. Petersburg, summers in the family villa in the Finnish village of Raivola — was soon to fall apart. Fate dealt a series of heavy blows: the deaths of her grandmother and her adopted sister, and the death from tuberculosis of her father in 1907. Two years later, it was discovered that Edith had the same disease. She was sixteen years old.

The rest of her life is an exhibition of courage in the face of enormous odds. Edith's struggle is recorded and reflected in the poetry that she — through a conscious decision — had now begun to write in Swedish.

First came the sanatorium years, with dismal experiences in Finland followed by a stay in Switzerland, from which she returned to Raivola much improved. Then there was a deeply disappointing love affair with a married man. Her literary debut came in 1916 with the collection entitled *Dikter* [Poems], which caused one critic to ask whether her publisher had wanted to give Swedish Finland a good laugh. The rest of the critical reception was in the same vein. This came as a total surprise to Södergran and wounded her deeply.

Political developments also contributed to her difficulties. The First World War brought trains of troop transports and refugees through Raivola, situated on an important train line some fifty kilometers northwest of St. Petersburg. The Russian Revolution of 1917 cut off the financial support Edith and her mother had been receiving from St. Petersburg. The civil war in Finland, which followed Finland's declaration of independence in 1917, brought fighting and near starvation to the area.

Södergran's answer to all this was another collection of poetry, *Septemberlyran* [The September Lyre], published in 1918. In a famous "introductory remark" to that collection she says:

> Nobody can deny that my writing is poetry; I will not claim that it is verse. I have tried to impose a certain rhythm on some poems and in that connection found that I only possess the power of word and image under complete freedom, i.e., at the expense of rhythm. My poems are to be taken as careless sketches. As to the contents, I let my instincts build while my intellect watches. My self-confidence comes from the fact that I have discovered my dimensions. It does not behoove me to make myself smaller than I am.

This volume was soon followed by two more: *Rosenaltaret* [The Rose Altar, 1919] and *Framtidens Skugga* [Future's Shadow, 1920]. The critics continued to heap their scorn and to consider her, at most, "an interesting fool."

Edith Södergran arrived on the literary scene with the force of an explosion. Who did she think she was, this woman from nowhere, who dared to do away with rhyme and meter and call it poetry? There were, however, a few people who recognized her strength as a poet. One of them was another woman, the author and critic Hagar Olsson. She wrote a sympathetic review, to which Södergran responded, incredulous: "Could it really be that I am coming to someone? Could we take each other's hand?" She is forced to decline Olsson's invitation to visit her in Helsinki: "Sleeplessness, tuberculosis, no money.

We live by selling furniture and household goods." But she is overjoyed, nevertheless. The lack of paper to write on, the humiliating attempts to get money by selling her lingerie or a bottle of perfume, all this mattered no longer. Edith Södergran had found a sister.

> My sister
> you come as a spring breeze over our valleys
> The violets in the shade smell of sweet fulfillment.
> I want to take you to the forest's loveliest corner:
> there, we shall confess to each other how we saw God.

The two women met only a few times, but the relationship was vital to both of them. Their correspondence, *Ediths Brev*, was published much later by Hagar Olsson.

"Let's go out and liberate!" Edith used to say. That meant going around the ramshackle villa, toward the old Russian Orthodox church, or perhaps down through the overgrown garden with its tall trees and the lake down below, and ridding trees and bushes of their dried branches so that they would "feel free."

Edith Södergran had many voices as a poet. She expressed her feelings about separation and death. She was concerned with herself as a woman, and with the ambivalence of her feelings toward men. In some of her poetry, she conjures up a primeval force that aims to change the world. And in her last poems, she accepts death with a calm simplicity inspired by the Gospels and the Book of Psalms. But one theme runs through all she has written: her concern with freedom and her joy in life. To Hagar Olsson she writes:

> Surrender yourself to my will, to the sun, to the force of life. . . . Let life fight to the utmost. . . . I want to pour over you my living reserves of strength. I am life, the joyous life.

Edith had a sister in American literature, and it is here that they touch each other most closely. Emily Dickinson wrote: "I find ecstasy in living; the mere sense of living is joy enough."

In Edith's world in Raivola everything had a name, everything lived, and everything was important. Ailing trees had to be talked to and washed with soap and water. Wilted flowers had to be put out on the grass "to die a natural death." Gradually, her walks in this world she loved so much became shorter and shorter. As her physical powers faded, her body seemed to vanish into her old-fashioned clothes. What remained, wrote a fellow poet who visited her shortly before the end, were "her large, gray eyes, like moonlight over dark water. And her smile."

Edith Södergran died on Midsummer's Day, 1923. Inscribed on her simple tombstone of red granite were the first four lines from Edith Södergran's last poem, "Arrival in Hades":

See here lies eternity's shore,
here the stream rushes by,
and death plays in the bushes
the same simple melody.

Stina Katchadourian
Stanford, California
March 1992

Love & Solitude

Skogssjön

Jag var allena på solig strand
vid skogens bleckblå sjö,
på himlen flöt ett enda moln
och på vattnet en enda ö.
Den mogna sommarens sötma dröp
i pärlor från varje träd
och i mitt öppnade hjärta rann
en liten droppe ned.

from *Dikter*
[Poems], 1916

JAG SÅG ETT TRÄD...

Jag såg ett träd som var större än alla andra
och hängde fullt av oåtkomliga kottar;
jag såg en stor kyrka med öppna dörrar
och alla som kommo ut voro bleka och starka
och färdiga att dö;
jag såg en kvinna som leende och sminkad
kastade tärning om sin lycka
och såg att hon förlorade.

En krets var dragen kring dessa ting
den ingen överträder.

I SAW A TREE . . .

I saw a tree that was taller than all the rest
and laden with pine cones out of reach;
I saw a great church with open doors
and all who came out were pale and strong
and ready to die;
I saw a woman, smiling and painted,
throw dice for her fortune,
and I saw that she lost.

A circle was drawn around these things,
which no one can cross.

DAGEN SVALNAR...

I

Dagen svalnar mot kvällen...
Drick värmen ur min hand,
min hand har samma blod som våren.
Tag min hand, tag min vita arm,
tag mina smala axlars längtan...
Det vore underligt att känna,
en enda natt, en natt som denna,
ditt tunga huvud mot mitt bröst.

II

Du kastade din kärleks röda ros
i mitt vita sköte —
jag håller fast i mina heta händer
din kärleks röda ros som vissnar snart...
O du härskare med kalla ögon,
jag tar emot den krona du räcker mig,
som böjer ned mitt huvud mot mitt hjärta.

THE DAY COOLS...

I

The day cools toward evening...
Drink the warmth from my hand,
it throbs with spring's own blood.
Take my hand, take my white arm,
take the longing of my slender shoulders...
How wondrous it would be to feel,
one single night, a night like this,
your heavy head against my breast.

II

You cast your love's red rose
into my white womb —
and in my burning hands I hold
your love's red rose that soon will wilt...
Oh master with your frozen eyes,
I do accept the crown you give me,
which bends my head toward my heart.

III

Jag såg min herre för första gången i dag,
darrande kände jag genast igen honom.
Nu känner jag ren hans tunga hand på min
                                    lätta arm...
Var är mitt klingande jungfruskratt,
min kvinnofrihet med högburet huvud?
Nu känner jag ren hans fasta grepp om min
                                    skälvande kropp,
nu hör jag verklighetens hårda klang
mot mina sköra, sköra drömmar.

IV

Du sökte en blomma
och fann en frukt.
Du sökte en källa
och fann ett hav.
Du sökte en kvinna
och fann en själ —
du är besviken.

III

Today, for the first time, I saw my master.
Shivering, I recognized him at once.
Already I can feel his heavy hand on my light arm...
Where is my ringing maidenly laughter,
my womanly freedom with head carried high?
Already I can feel his tight grip on my shivering body,
now I hear the harsh clang of reality
against my sheer, sheer dreams.

IV

You looked for a flower
and found a fruit.
You looked for a well
and found a sea.
You looked for a woman
and found a soul —
I disappoint you.

EN ÖNSKAN

Av hela vår soliga värld
önskar jag blott en trädgårdssoffa
där en katt solar sig . . .
Där skulle jag sitta
med ett brev i barmen,
ett enda litet brev.
Så ser min dröm ut . . .

A W I S H

In our entire sunny world
I want but one thing: a garden bench
where a cat lies in the sun . . .
There I would sit,
a letter at my bosom,
one single short letter.
That's what my dream looks like . . .

VIOLETTA SKYMNINGAR

Violetta skymningar bär jag i mig ur min urtid,
nakna jungfrur lekande med galopperande
                                centaurer...
Gula solskensdagar med granna blickar,
endast solstrålar hylla värdigt en ömsint
                                kvinnokropp...
Mannen har icke kommit, har aldrig varit, skall
                                aldrig bli...
Mannen är en falsk spegel den solens dotter vredgad
                                kastar mot klippväggen,
mannen är en lögn, den vita barn ej förstå,
mannen är en skämd frukt den stolta läppar försmå.

Sköna systrar, kommen högt upp på de starkaste
                                klipporna,
vi äro alla krigarinnor, hjältinnor, ryttarinnor,
oskuldsögon, himmelspannor, rosenlarver,
tunga bränningar och förflugna fåglar,
vi äro de minst väntade och de djupast röda,
tigerfläckar, spända strängar, stjärnor utan svindel.

VIOLET TWILIGHTS

Violet twilights I carry within me from my
                                        ancient past,
naked virgins playing with galloping centaurs...
Yellow sunshine days with bright glances,
only sunbeams pay proper homage to a tender
                                        female body...
No man has yet arrived, has ever been, will ever be...
A man is a false mirror that the sun's daughter hurls
                                        against the cliffs in rage,
a man is a lie, incomprehensible to pure children,
a man is a rotten fruit rejected by proud lips.

Beautiful sisters, come high up to the strongest rocks,
we are all fighting women, heroines, horsewomen,
eyes of innocence, brows of heaven, rosy faces,
heavy breakers and soaring birds,
we are the least expected and the darkest red,
tigerspots, taut strings, fearless stars.

VIERGE MODERNE

Jag är ingen kvinna. Jag är ett neutrum.
Jag är ett barn, en page och ett djärvt beslut,
jag är en skrattande strimma av en scharlakanssol...
Jag är ett nät för alla glupska fiskar,
jag är en skål för alla kvinnors ära,
jag är ett steg mot slumpen och fördärvet,
jag är ett språng i friheten och självet...
Jag är blodets viskning i mannens öra,
jag är en själens frossa, köttets längtan och förvägran,
jag är en ingångsskylt till nya paradis.
Jag är en flamma, sökande och käck,
jag är ett vatten, djupt men dristigt upp till knäna,
jag är eld och vatten i ärligt sammanhang
                                      på fria villkor...

VIERGE MODERNE

I am no woman. I am a neuter.
I am a child, a page-boy, and a bold decision,
I am a laughing streak of a scarlet sun . . .
I am a net for all voracious fish,
I am a toast to every woman's honor,
I am a step toward luck and toward ruin,
I am a leap in freedom and the self . . .
I am the whisper of desire in a man's ear,
I am the soul's shivering, the flesh's longing
                                        and denial,
I am an entry sign to new paradises.
I am a flame, searching and brave,
I am water, deep yet bold only to the knees,
I am fire and water, honestly combined,
                        on free terms . . .

MOT ALLA FYRA VINDAR

Ingen fågel förflyger sig hit i min undanskymda vrå,
ingen svart svala som bringar längtan,
ingen vit mås som bebådar storm . . .
I klippors skugga håller min vildhet vakt,
färdig att fly för minsta rassel, för nalkande steg . . .
Ljudlös och blånande är min värld, den saliga . . .
Jag har en port mot alla fyra vindar.
Jag har en gyllene port mot öster — för kärleken som
                                    aldrig kommer,
jag har en port för dagen och en annan för vemodet,
jag har en port för döden — den står alltid öppen.

TOWARD ALL THE FOUR WINDS

No bird flies astray into my hidden corner,
no black swallow bringing longing,
no white seagull heralding a gale . . .
In the shadows of cliffs my wildness stands guard,
ready to flee at the least sound, at approaching
                                  steps . . .
Soundless and remote is my blissful world.
I have a gate toward all the four winds.
I have a golden gate toward the east — for the love
                            that never comes,
I have a gate for the day, and another one for
                            my sorrow,
I have a gate for death — it is always open.

VÅRA SYSTRAR GÅ
I BROKIGA KLÄDER...

Våra systrar gå i brokiga kläder,
våra systrar stå vid vattnet och sjunga,
våra systrar sitta på stenar och vänta,
de hava vatten och luft i sina korgar
och kalla det blommor.
Men jag slår mina armar kring ett kors
och gråter.
Jag var en gång så mjuk som ett ljusgrönt blad
och hängde högt uppe i den blåa luften,
då korsades två klingor i mitt inre
och en segrare förde mig till sina läppar.
Hans hårdhet var så öm att jag icke gick sönder,
han fäste en skimrande stjärna vid min panna
och lämnade mig skälvande av tårar
på en ö som heter vinter.

OUR SISTERS WALK IN MOTLEY DRESS...

Our sisters walk in motley dress,
our sisters stand by the water and sing,
our sisters sit on rocks and wait,
they have water and air in their baskets
and call it flowers.
But I throw my arms around a cross
and cry.
Once, I was as soft as a light-green leaf
and hung high up in the blue air.
Then, two swords were crossed inside me
and a conqueror took me to his lips.
His toughness was so tender that I did not break,
he fixed a shimmering star to my forehead
and left me, shaking with tears,
on an island called winter.

SVART ELLER VITT

Floderna löpa under broarna,
blommorna lysa vid vägarna,
skogarna böja sig susande till marken.
För mig är intet mera högt eller lågt,
svart eller vitt,
sen jag har sett en vitklädd kvinna
i min älskades arm.

BLACK OR WHITE

Rivers run under bridges
flowers shine by the roadsides
forests bend murmuring to the ground.
For me, there is neither high nor low,
black nor white,
since I've seen a woman dressed in white
in my lover's arms.

H Ö S T

De nakna träden stå omkring ditt hus
och släppa in himmel och luft utan ända,
de nakna träden stiga ned till stranden
och spegla sig i vattnet.
Än leker ett barn i höstens gråa rök
och en flicka går med blommor i handen
och vid himlaranden
flyga silvervita fåglar upp.

A U T U M N

The naked trees stand around your house
and let in endless sky and air,
the naked trees march down to the shore
and mirror themselves in the water.
A child still plays in the gray autumn smoke
and a girl walks with flowers in her hand
and at the edge of the sky
silver-white birds fly up.

TVÅ STRANDDIKTER

I

Mitt liv var så naket
som de gråa klipporna,
mitt liv var så kallt
som de vita höjderna,
men min ungdom satt med heta kinder
och jublade: solen kommer!
Och solen kom och naken låg jag
den långa dagen på de gråa klipporna —
det kom en kall fläkt från det röda havet:
solen går ned!

T W O   S H O R E   P O E M S

I

My life was as naked
as the gray rocks,
my life was as cold
as the white heights,
but my youth sat with burning cheeks
and exulted: the sun is coming!
And the sun came, and naked I lay
on the gray rocks all day long —
an icy breeze came from the red ocean:
the sun is setting!

II

Mellan gråa stenar
ligger din vita kropp och sörjer
över dagarna som komma och gå.
Sagorna, du hört som barn,
gråta i ditt hjärta.
Tystnad utan eko,
ensamhet utan spegel,
luften blånar genom alla springor.

II

Among gray rocks
lies your white body, grieving
over days that come and go.
The tales that as a child you heard
are crying in your heart.
Silence without echo,
loneliness without mirror,
air shines blue through all the cracks.

I FÖNSTRET STÅR
ETT LJUS

I fönstret står ett ljus,
som långsamt brinner
och säger att någon är död därinne.
Några granar tiga
kring en stig som stannar tvärt
i en kyrkogård i dimma.
En fågel piper —
vem är därinne?

THERE'S A CANDLE
IN THE WINDOW

There's a candle in the window,
slowly burning,
saying that someone inside is dead.
Some fir trees stand silent
along a path that ends abruptly
in a foggy churchyard.
A bird cries —
who is inside?

S K O G S S J Ö N

Jag var allena på solig strand
vid skogens blekblå sjö,
på himlen flöt ett enda moln
och på vattnet en enda ö.
Den mogna sommarens sötma dröp
i pärlor från varje träd
och i mitt öppnade hjärta rann
en liten droppe ned.

F O R E S T   L A K E

I was alone on a sunny shore
by the forest's pale blue lake,
in the sky floated a single cloud
and on the water a single isle.
The ripe sweetness of summer dripped
in beads from every tree
and straight into my opened heart
a tiny drop ran down.

STJÄRNENATTEN

Onödigt lidande,
onödig väntan,
världen är tom som ditt skratt.
Stjärnorna falla —
kalla och härliga natt.
Kärleken ler under sömnen,
kärleken drömmer om evighet...
Onödig fruktan, onödig smärta,
världen är mindre än ingenting,
ned i djupet glider från kärlekens hand
evighetens ring.

NIGHT FULL OF STARS

Needless suffering,
needless waiting,
the world, like your laughter, is empty.
The stars are falling —
cold and wonderful night.
Love is smiling in its sleep,
love is dreaming of eternity. . .
Needless fear, needless pain,
the world is less than nothing at all;
from the hand of love, down into the deep,
slides eternity's ring.

I DE STORA SKOGARNA...

I de stora skogarna gick jag länge vilse,
jag sökte sagorna, min barndom hört.

I de höga bergen gick jag länge vilse,
jag sökte drömslotten, min ungdom byggt.

I min älsklings trädgård gick jag icke vilse,
där satt den glada göken, min längtan följt.

IN THE VAST FORESTS...

In the vast forests I long wandered, lost,
searching for tales that my childhood heard.

In the high mountains I long wandered, lost,
searching for dream castles, built in my youth.

In my lover's garden I did not lose my way,
there sat the joyful cuckoo my yearning had pursued.

V I K V I N N O R

Vi kvinnor, vi äro så nära den bruna jorden.
Vi fråga göken, vad han väntar av våren,
vi slå våra armar kring den kala furan,
vi forska i solnedgången efter tecken och råd.
Jag älskade en gång en man, han trodde på
                                    ingenting...
Han kom en kall dag med tomma ögon,
han gick en tung dag med glömska över pannan.
Om mitt barn icke lever, är det hans...

W E W O M E N

We women, we are so close to the brown earth.
We ask the cuckoo what he expects of spring,
we embrace the rugged fir tree,
we look in the sunset for signs and counsel.
Once I loved a man, he believed in nothing . . .
He came on a cold day with empty eyes,
he left on a heavy day with lost memories on his brow.
If my child does not live, it is his . . .

T I D I G G R Y N I N G

Några sista stjärnor lysa matt.
Jag ser dem ur mitt fönster. Himlen är blek,
man anar knappast dagen som börjar i fjärran.
Det vilar en tystnad utbredd över sjön,
det ligger en viskning på lur mellan träden,
min gamla trädgård lyssnar halvförstrött
till nattens andetag, som susa över vägen.

EARLY DAYBREAK

A few last stars linger on.
I see them from my window. The sky is pale,
a remote hint of day begins from afar.
A silence rests spread out over the lake,
a whisper lies in wait among the trees,
and my old garden listens, sleepily,
to breaths of the night that sweep across the road.

N O R D I S K V Å R

Alla mina luftslott ha smultit som snö,
alla mina drömmar ha runnit som vatten,
av allt vad jag älskat har jag endast kvar
en blå himmel och några bleka stjärnor.
Vinden rör sig sakta mellan träden.
Tomheten vilar. Vattnet är tyst.
Den gamla granen står vaken och tänker
på det vita molnet, han i drömmen kysst.

N O R D I C S P R I N G

All my air castles have melted like snow,
all my dreams have run off like water,
all that remains of what I've ever loved
is a blue sky and some pale stars.
The wind moves quietly among the trees.
Emptiness rests. The water is still.
The old fir tree stands awake thinking
of the white cloud that he kissed in his dream.

DEN SÖRJANDE TRÄDGÅRDEN

Ack, att fönster se
och väggar minnas,
att en trädgård kan stå och sörja
och ett träd kan vända sig om och fråga:
Vem har icke kommit och vad är icke väl,
varför är tomheten tung och säger ingenting?
De bittra nejlikorna sluta upp vid vägen,
där granens dunkel bliver outgrundligt.

THE GRIEVING GARDEN

Oh, that windows see
and walls remember,
that a garden can stand grieving
and a tree can turn around and ask:
Who has not come and what is not well,
why is the emptiness heavy and saying nothing?
The bitter carnations cluster by the road
where the fir tree's gloom grows deep and dark.

K V Ä L L

Jag vill ej höra den sorgsna sagan
skogen berättar.
Det viskar ännu länge mellan granarna,
det suckar ännu länge uti löven,
ännu länge glida skuggor mellan de dystra stammarna.
Kom ut på vägen. Där möter oss ingen.
Kvällen drömmer blekröd kring tigande dikesren.
Vägen löper långsamt och vägen stiger varligt
och ser sig länge om efter solens sken.

E V E N I N G

I don't want to hear the sad tale
the forest is telling.
Whispers can still be heard among the firs,
and sounds of sighing in the leaves,
shadows are still gliding between the somber trunks.
Come out on the road. No one will meet us there.
Along the silent hedgerows the rosy evening dreams.
The road runs slowly and the road climbs cautiously
and takes a long look back at the setting sun.

DE FRÄMMANDE LÄNDERNA

Min själ älskar så de främmande länderna,
som hade den intet hemland.
I fjärran land stå de stora stenarna
på vilka mina tankar vila.
Det var en främling som skrev de sällsamma orden
på den hårda tavla, som heter min själ.
Dagar och nätter ligger jag och tänker
på saker som aldrig hänt:
min törstiga själ har engång fått dricka.

THE FOREIGN LANDS

My soul so loves the foreign lands
as if it had no homeland.
In foreign lands stand the enormous stones
on which my thoughts repose.
It was a stranger who wrote the mysterious words
on the hard tablet called my soul.
Days and nights I lie and think
of things that never were:
my thirsty soul was once allowed to drink.

TVÅ GUDINNOR

När du såg lyckans ansikte, blev du besviken:
denna soverska med slappa drag,
var hon den mest tillbedda och den oftast nämnda,
den minst kända av alla gudinnor,
hon som härskar över de vindstilla haven,
de blommande trädgårdarna, de ändlösa
                              solskensdagarna,
och du beslöt att aldrig tjäna henne.

Närmare trädde dig åter smärtan med djupet i ögonen,
den aldrig åkallade,
den mest kända och minst förstådda av alla gudinnor,
hon som härskar över de stormiga haven och de
                              sjunkande skeppen,
över de fångna för livet,
och över de tunga förbannelser som vila med barnen
                              i mödrarnas sköten.

TWO GODDESSES

When you saw the face of happiness, you were
                                    disappointed:
this sleeper with languid features,
she was the most worshipped and the most discussed,
the least known of all goddesses,
she who reigns over the calm seas,
the flowering gardens, the endless days of sunshine,
and you resolved never to serve her.

Then grief approached again with depth in her eyes,
the one never summoned,
the best known and the least understood of
                                    all goddesses,
she who reigns over the stormy seas and the
                                    sinking ships,
over those imprisoned for life,
and over the heavy curses resting on children in
                                    their mothers' wombs.

A V S K E D

Egensinnigt och kallt blev mitt hjärta
sen jag började längta efter dina smekningar.
Mina systrar hava ännu icke märkt
att jag icke mera ser på dem . . .
Jag talar aldrig mer med någon . . .
Jag vet ej huru ofta
jag kysser den lilla kattungen som sover vid mitt bröst.
Gärna ville jag hava en smula ledsamt,
men mitt hjärta är lyckligt och skrattar åt allt.
Mina systrar, jag gör, vad jag aldrig har velat,
mina systrar, hållen mig tillbaka —
jag vill icke gå bort från eder.
När jag sluter mina ögon, står han framför mig,
jag har många tankar för honom och inga för alla
                                    de andra.

Mitt liv har blivit hotfullt som en ovädershimmel,
mitt liv har blivit falskt som ett speglande vatten,
mitt liv går på en lina högt uppe i luften:
jag vågar icke se det.
Alla önskningar, jag hade i går,
sloka som de lägsta bladen på palmens stjälk,

F A R E W E L L

Headstrong and cold my heart became
when I began to yearn for your caresses.
My sisters have not yet noticed
that I no longer look at them . . .
I speak with no one anymore . . .
I do not know how often
I kiss the small kitten asleep at my breast.
I would not mind a little boredom,
but my heart is happy and laughs at it all.
My sisters, I do what I have always wanted,
my sisters, hold me back —
I do not want to leave you.
When I close my eyes, he stands before me,
I have many thoughts for him and none for
                          all the others.

My life has turned ominous like a stormy sky,
my life has turned false like a reflecting pond,
my life walks a tightrope high up in the air:
I dare not look at it.
All the wishes I had yesterday
droop like the lowest leaves on the palm stalk,

alla böner, jag sände i går,
äro överflödiga och obesvarade.
Alla mina ord har jag tagit tillbaka,
och allt vad jag ägde har jag skänkt åt de fattiga,
som önskade mig lycka.
När jag riktigt tänker,
har jag ingenting kvar utav mig själv än mitt
svarta hår,
mina två långa flätor, som glida som ormar.
Mina läppar hava blivit glödande kol,
jag minns ej mer, när de började brinna . . .
Förfärlig var den stora branden som lade min ungdom
i aska.
Ack, det oundvikliga skall ske som ett svärdshugg —
jag går utan avsked och obemärkt,
jag går helt och kommer aldrig åter.

all the prayers I sent yesterday
are irrelevant and unanswered.
All my words I have taken back,
and all that I owned I have given to the poor,
who wished me luck.
If I really think about it,
I have nothing left of myself but my black hair,
my two long braids that slither like snakes.
My lips have turned to glowing coals,
I no longer remember when they started to burn . . .
Fearful was the great fire that turned my youth
                                    to ashes.
Oh, the inevitable shall fall like a sword-stroke —
I leave without farewell and unnoticed,
I leave for good and never will return.

MIN SJÄL

Min själ kan icke berätta och veta någon sanning,
min själ kan endast gråta och skratta och vrida
                                    sina händer;
min själ kan icke minnas och försvara,
min själ kan icke överväga och bekräfta.
När jag var barn såg jag havet: det var blått,
i min ungdom mötte jag en blomma: hon var röd,
nu sitter vid min sida en främling: han är utan färg,
men jag är icke mera rädd för honom än jungfrun var
                                    för draken.
När riddaren kom var jungfrun röd och vit,
men jag har mörka ringar under ögonen.

M Y   S O U L

My soul can tell no tales and knows no truths,
my soul can only cry and laugh and wring its hands;
my soul cannot remember and defend,
my soul cannot consider or approve.
As a child I saw the sea: it was blue.
In my youth I met a flower: she was red.
Now a stranger sits by my side: he is colorless,
but I fear him no more than the virgin feared
                                   the dragon.
The knight came upon the virgin, red and white,
but I have dark rings under my eyes.

K Ä R L E K

Min själ var en ljusblå dräkt av himlens färg;
jag lämnade den på en klippa vid havet
och naken kom jag till dig och liknade en kvinna.
Och som en kvinna satt jag vid ditt bord
och drack en skål med vin och andades in doften av
några rosor.
Du fann att jag var vacker och liknade något du sett
i drömmen,
jag glömde allt, jag glömde min barndom och mitt
hemland,
jag visste endast att dina smekningar höllo mig fången.
Och du tog leende en spegel och bad mig se mig själv.
Jag såg att mina skuldror voro gjorda av stoft och
smulade sig sönder,
jag såg att min skönhet var sjuk och hade ingen vilja
än — försvinna.
O, håll mig sluten i dina armar så fast att jag
ingenting behöver.

L O V E

My soul was a light blue dress the color of the sky;
I left it on a rock by the sea
and naked I came to you, looking like a woman.
And like a woman I sat at your table
and drank a toast in wine, inhaling the scent of
some roses.
You found me beautiful, like something you saw in
a dream,
I forgot everything, I forgot my childhood and my
homeland,
I only knew that your caresses held me captive.
And smiling you held up a mirror and asked me
to look.
I saw that my shoulders were made of dust and
crumbled away,
I saw that my beauty was sick and wished only to —
disappear.
Oh, hold me tight in your arms so close that
I need nothing.

DEN SPEGLANDE BRUNNEN

Ödet sade: vit skall du leva eller röd skall du dö!
Men mitt hjärta beslöt: röd skall jag leva.
Nu bor jag i landet, där allt är ditt,
döden träder aldrig in i detta rike.
Hela dagen sitter jag med armen vilande på brunnens
                                        marmorrand,
när man frågar mig, om lyckan varit här,
skakar jag på huvudet och ler:
lyckan är långt borta, där sitter en ung kvinna och
                                        sömmar ett barnatäcke,
lyckan är långt borta, där går en man i skogen och
                                        timrar sig en stuga.
Här växa röda rosor kring bottenlösa brunnar,
här spegla sköna dagar sina leende drag
och stora blommor förlora sina skönaste blad...

THE REFLECTING FOUNTAIN

Fate declared: white you shall live or red you shall die!
But my heart decided: red I shall live!
Now I live in the land where all is yours,
death never enters this realm.
All day long I sit, my arm resting on the fountain's
                                marble rim.
When I am asked if happiness has been here,
I shake my head and smile:
happiness is far away, where a young woman sits
                                sewing a child's blanket,
happiness is far away, where a man walks in the forest
                                and builds himself a cabin.
Here, red roses grow around fathomless fountains,
here, lovely days reflect their smiling features
and huge flowers lose their most beautiful petals . . .

SÅNGEN OM
DE TRE GRAVARNA

Hon sjöng i skymningen på den daggvåta gården:
I sommar växa tre rosenbuskar över tre gravar.

I den första graven ligger en man —
han sover tungt . . .

I den andra ligger en kvinna med sorgsna drag —
hon håller en ros i sin hand.

Den tredje graven är en andegrav och den är osalig,
där sitter alla kvällar en mörk ängel och sjunger:
oförlåtligt är att underlåta!

THE BALLAD OF
THE THREE GRAVES

She sang in the garden, in the twilight dew:
This summer, three rosebushes grow on three graves.

In the first grave there lies a man —
he is sleeping soundly. . .

In the second lies a woman with sorrowful features —
she holds a rose in her hand.

The third grave is a ghost's grave and it is doomed,
a dark angel sits there every night and sings:
                                        Failure to act is a sin!

T R E S Y S T R A R

Den ena systern älskade de söta smultronen,
den andra systern älskade de röda rosorna,
den tredje systern älskade de dödas kransar.

Den första systern blev gift:
man säger, att hon är lycklig.

Den andra systern älskade av hela sin själ,
man säger att hon blev olycklig.

Den tredje systern blev ett helgon,
man säger, att hon skall vinna det eviga livets krona.

THREE SISTERS

The first sister loved the sweet wild strawberries,
the second sister loved the dark red roses,
the third sister loved the wreaths of the dead.

The first sister married,
they say that she is happy.

The second sister loved with all her soul,
they say that she became unhappy.

The third sister became a saint,
they say that she will win the crown of everlasting life.

LIVETS SYSTER

Livet liknar döden mest, sin syster.
Döden är icke annorlunda,
du kan smeka henne och hålla hennes hand och släta
hennes hår,
hon skall räcka dig en blomma och le.
Du kan borra in ditt ansikte i hennes bröst
och höra henne säga: det är tid att gå.
Hon skall icke säga dig att hon är en annan.
Döden ligger icke grönvit med ansiktet mot marken
eller på rygg på en vit bår:
döden går omkring med skära kinder och talar
med alla.
Döden har veka drag och fromma kinder,
på ditt hjärta lägger hon sin mjuka hand.
Den som känt den mjuka handen på sitt hjärta,
honom värmer icke solen,
han är kall som is och älskar ingen.

L I F E ' S   S I S T E R

Life resembles death most closely, her sister.
Death is no different,
you can caress her and hold her hand and smooth
                                        her hair,
she will offer you a flower and smile.
You can bury your face in her breast
and hear her say: it is time to go.
She will not tell you that she is someone else.
Death does not lie greenish-white, her face to
                                        the ground,
or on her back on a white bier:
death goes around with pink cheeks and talks
                                        to everyone.
Death has tender features and pious cheeks,
upon your heart she lays her soft hand.
Whoever has felt that soft hand on his heart,
the sun does not warm,
he is cold as ice and loves no one.

HELVETET

O vad helvetet är härligt!
I helvetet talar ingen om döden.
Helvetet är murat i jordens innandöme
och smyckat med glödande blommor...
I helvetet säger ingen ett tomt ord...
I helvetet har ingen druckit och ingen har sovit
och ingen vilar och ingen sitter stilla.
I helvetet talar ingen, men alla skrika,
där äro tårar icke tårar och alla sorger äro utan kraft.
I helvetet blir ingen sjuk och ingen tröttnar.
Helvetet är oföränderligt och evigt.

H E L L

Oh the magnificence of hell!
In hell no one speaks of death.
Hell is walled up in the bowels of the earth
and adorned with glowing flowers . . .
In hell no one says an empty word . . .
In hell no one has drunk and no one has slept
and no one rests and no one sits still.
In hell no one speaks but everyone screams,
there, tears are not tears and all grief is powerless.
In hell no one falls ill and no one tires.
Hell is constant and eternal.

S M Ä R T A N

Lyckan har inga sånger, lyckan har inga tankar, lyckan
       har ingenting.
Stöt till din lycka att hon går sönder, ty lyckan är ond.
Lyckan kommer sakta med morgonens susning
       i sovande snår,
lyckan glider undan i lätta molnbilder över
       djupblå djup,
lyckan är fältet som sover i middagens glöd
eller havets ändlösa vidd under baddet av lodräta
       strålar,
lyckan är maktlös, hon sover och andas och vet
       av ingenting . . .
Känner du smärtan? Hon är stark och stor med hemligt
       knutna nävar.
Känner du smärtan? Hon är hoppfullt leende med
       förgråtna ögon.
Smärtan ger oss allt vad vi behöva —
hon ger oss nycklarna till dödens rike,
hon skjuter oss in genom porten, då vi ännu tveka.
Smärtan döper barnen och vakar med modern
och smider alla de gyllene bröllopsringarna.
Smärtan härskar över alla, hon slätar tänkarens panna,
hon fäster smycket kring den åtrådda kvinnans hals,
hon står i dörren när mannen kommer ut från
       sin älskade . . .

P   A   I   N

Happiness has no songs, happiness has no thoughts,
                      happiness has nothing.
Give your happiness a shove and break her, for
                      happiness is evil.
Happiness comes quietly with the morning's murmur
                    in slumbering shrubs,
happiness wafts away like light clouds over deep
                        blue depths,
happiness is the sleeping field in the midday heat
or the sea's endless expanse bathed under vertical rays,
happiness is powerless, she sleeps and breathes and
                      knows of nothing . . .
Do you know pain? She is big and strong with fists
                    secretly clenched.
Do you know pain? She wears a hopeful smile under
                    grieving eyes.
Pain gives us all we need —
she gives us the keys to the kingdom of death
and pushes us in through the gate, even as we hesitate.
Pain baptizes the children and sits up with the mother
and forges all the golden wedding rings.
Pain reigns supreme, she smooths the thinker's brow,
she fastens the jewel around the coveted woman's neck,
she stands at the door as the man leaves his beloved . . .

Vad är det ännu smärtan ger åt sina älsklingar?
Jag vet ej mer.
Hon ger pärlor och blommor, hon ger sånger
och drömmar,
hon ger oss tusen kyssar som alla äro tomma,
hon ger den enda kyssen som är verklig.
Hon ger oss våra sällsamma själar och
besynnerliga tycken,
hon ger oss alla livets högsta vinster:
kärlek, ensamhet och dödens ansikte.

What else does pain bestow upon her chosen ones?
I know no more.
She offers us pearls and flowers, she gives us songs
                                        and dreams,
she gives us a thousand kisses, all of them empty,
she gives us the one kiss that is real.
She gives us our strange souls and our odd thoughts,
she gives us all of life's highest winnings:
love, solitude, and the face of death.

Early poems from *Landet som icke är*
[The Land That Is Not], 1925

PORTRÄTTET

För mina små visor,
de lustigt klagande, de aftonröda,
skänkte mig våren ägget av en vattenfågel.

Jag bad min älskade måla mitt porträtt på det
                                    tjocka skalet.
Han målade en ung lök i brun mylla —
och på den andra sidan en rund mjuk kulle av sand.

T H E P O R T R A I T

For my little songs,
those curious laments, those sunset-colored ones,
spring offered me a shore bird's egg.

I bade my lover paint my portrait on the thick shell.
He painted a young bulb in brown soil —
and, on the other side, a round soft mound of earth.

OM HÖSTEN

Nu är det höst och de gyllene fåglarna
flyga alla hem över djupblå vatten;
på stranden sitter jag och stirrar i det granna glittret
och avskedet susar genom grenarna.
Avskedet är stort, skilsmässan förestående,
men återseendet är visst.
Därför blir sömnen lätt när jag somnar med armen
under huvudet.
Jag känner en moders andedräkt på mina ögon
och en moders mun mot mitt hjärta:
sov och slumra mitt barn, ty solen är borta.

IN THE FALL

Now fall is here and the golden birds
all fly home over deep blue waters;
I sit on the shore and gaze into the brilliant glitter
and our farewells sough through the trees.
These farewells loom large, our parting so close,
but our reunion certain.
That's why my sleep is so sweet when I dream with my
                                        head on my arm.
I feel a mother's breath on my eyes
and a mother's mouth against my heart:
sleep and dream, my sweet child, for the sun is gone.

FARLIGA DRÖMMAR

Gå icke alltför nära dina drömmar:
de äro en rök och de kunna förskingras —
de äro farliga och kunna bestå.

Har du skådat dina drömmar i ögonen:
de äro sjuka och förstå ingenting —
de hava endast sina egna tankar.

Gå icke alltför nära dina drömmar:
de äro en osanning, de borde gå —
de äro ett vansinne, de vilja stanna.

DANGEROUS DREAMS

Do not get too close to your dreams:
they are like smoke and they could vanish —
they are dangerous and they might linger.

Have you looked your dreams in the eye:
they are sick and understand nothing —
they have only their own thoughts.

Do not get too close to your dreams:
they are a lie, they ought to go —
they are madness, they want to stay.

B R U D E N

Min krets är trång och mina tankars ring
går kring mitt finger.
Det ligger något varmt på grunden av allt det
                                    främmande omkring mig,
som den svaga doften i näckrosens kalk.
Tusende äpplen hänga i min faders trädgård,
runda och avslutade i sig själva —
så har mitt obestämda liv ock blivit
utformat, rundat, svällande och slätt och — enkelt.
Trång är min krets och mina tankars ring
går kring mitt finger.

T H E B R I D E

My circle is narrow and the ring of my thoughts
goes round my finger.
There lies something warm at the base of all
                                    strangeness around me,
like the vague scent in the water lily's cup,
Thousands of apples hang in my father's garden,
round and completed in themselves —
my uncertain life turned out this way too,
shaped, rounded, bulging and smooth and — simple.
Narrow is my circle and the ring of my thoughts
goes round my finger.

INGENTING

Var lugn, mitt barn, det finnes ingenting,
och allt är som du ser: skogen, röken och
skenornas flykt.
Någonstädes långt borta i fjärran land
finnes en blåare himmel och en mur med rosor
eller en palm och en ljummare vind —
och det är allt.
Det finnes icke något mera än snön på granens gren.
Det finnes ingenting att kyssa med varma läppar,
och alla läppar bli med tiden svala.
Men du säger, mitt barn, att ditt hjärta är mäktigt,
och att leva förgäves är mindre än att dö.
Vad ville du döden? Känner du vämjelsen hans kläder
sprida,
och ingenting är äckligare än död för egen hand.
Vi böra älska livets långa timmar av sjukdom
och trånga år av längtan
såsom de korta ögonblick då öknen blommar.

N O T H I N G

Be calm, my child, there is nothing,
and all is as you see it: the woods, the smoke, the
vanishing rails.
Somewhere, far away, in a distant land
there is a bluer sky and a wall with roses
or a palm tree and a milder wind —
and that is all.
There is nothing more than the snow on a spruce's
branch.
There is nothing to kiss with your warm lips,
and with time all lips turn cool.
But you say, my child, that your heart is mighty,
and that to live in vain is worse than to die.
What did you want from death? Can't you feel the
revulsion his shroud is spreading,
and nothing is more vile than death by one's
own hand.
We should love life's long hours of illness
and narrow years of longing
as we do the brief moments when the desert blooms.

from *Septemberlyran*
[The September Lyre], 1918

TRIUMF ATT FINNAS TILL

Vad fruktar jag? Jag är en del utav oändligheten.
Jag är en del av alltets stora kraft,
en ensam värld inom miljoner världar,
en första gradens stjärna lik som slocknar sist.
Triumf att leva, triumf att andas, triumf att finnas till!
Triumf att känna tiden iskall rinna genom sina ådror
och höra nattens tysta flod
och stå på berget under solen.
Jag går på sol, jag står på sol,
jag vet av ingenting annat än sol.
Tid — förvandlerska, tid — förstörerska,
                              tid — förtrollerska,
kommer du med nya ränker, tusen lister för att bjuda
                              mig en tillvaro
som ett litet frö, som en ringlad orm, som en klippa
                              mitt i havet?
Tid — du mörderska — vik ifrån mig!
Solen fyller upp mitt bröst med ljuvlig honung upp
                              till randen
och hon säger: en gång slockna alla stjärnor,
                    men de lysa alltid utan skräck.

TRIUMPH OF EXISTING

What do I fear? I am a part of infinity.
I am a portion of a cosmic force,
a separate world within a million worlds,
a star of the first magnitude, the last to die.
The triumph of living, the triumph of breathing,
                                        the triumph of existing!
The triumph of feeling time flow, glacial, through
                                        my veins
and hear the silent stream of night
and stand atop the mountain in the sun.
I walk on sun, I stand on sun,
I know of nothing but the sun.
Time — transformer, time — destroyer,
                                        time — enchanter,
do you come with new intrigues, a thousand schemes,
                                        to offer me a life
as a little seed, as a coiled serpent, as a rock out in
                                        the sea?
Time — you murderer — begone from me!
The sun fills up my breast with lovely honey to
                                        the brim
and she says: some day, all stars are bound to die,
                        yet they always shine without dread.

TILL EN UNG KVINNA

Aldrig ännu bedrog ett eldigt ögonkast.
Håll mannens hjärta i dina oerfarna barnafingrar,
drag mannens stråleld i dina ögons isgemak!
Du är viss om kärlek som om himmelriket.
Han skall skänka dig sitt hjärta, ett rike och alla
                                    vårens blommor,
och du ger honom din längtans lätta slöja som gör
                                    fjärran blå.
Än har din andedräkt icke vidrört hans salighets
                                    flämtande ljus.
Än har ditt öga icke mätt vidden av hans tro.
Än hava dina fötter icke inträtt i hans ödes
                                    slutna krets;
det är dig ännu detsamma om han är röd eller blå.
Men det skall komma en dag då du hänger fast
vid honom som en blomma vid sin stjälk,
då hans skymning är ditt ljus och hans torka är
                                    din källa,
då du irrar kring i gångarna av ett vidsträckt slott och
                                    känner att du älskar

TO A YOUNG WOMAN

Never yet deceived by a fiery glance.
Hold the man's heart in your unknowing child-fingers,
draw the man's radiant fire into the icy chamber
                                    of your eyes.
You are certain of love as you are of heaven.
He will offer you his heart, an empire, and all the
                                    spring flowers,
and you give him the light veil of your longing which
                                    turns the distance blue.
Your breath has not yet touched the flickering light
                                    of his bliss.
Your eye has not yet measured the breadth
                                    of his loyalty.
Your feet have not yet stepped into the closed circle
                                    of his fate;
you still do not care whether he is red or blue.
But the day will come when you cling tight
to him like a flower to its stalk,
when his twilight is your light and his drought is
                                    your well,
when you wander about in the passages of a vast castle
                                    and know that you love

och att han endast lever av din renhets vita bröd
och att hans blod blott strömmar i din moderliga
                                   ömhets bäcken.
Det skall vara tungt och underbart och hårt
                              och oskiljaktigt.

and that he is sustained only by the white bread of
                              your purity
and that his blood courses only in the womb of
                              your motherly tenderness.
It will be heavy and wonderful and hard
                              and inseparable.

U P P T Ä C K T

Din kärlek förmörkar min stjärna —
månen går upp i mitt liv.
Min hand är ej hemma i din.
Din hand är lusta —
min hand är längtan.

D I S C O V E R Y

Your love darkens my star —
the moon rises in my life.
My hand is not at home in yours.
Your hand is lust —
my hand is longing.

VAD ÄR I MORGON?

Vad är i morgon? Kanske icke du.
Kanske en annan famn och en ny kontakt och en
                              liknande smärta...
Jag skall gå ifrån dig med en visshet så som
                              ingen annan:
Jag skall komma åter som ett stycke av din egen smärta.
Jag skall komma till dig från en annan himmel med ett
                              nytt beslut.
Jag skall komma till dig från en annan stjärna med
                              samma blick.
Jag skall komma till dig med min gamla längtan
                              i nya drag.
Jag skall komma till dig sällsam, ond och trogen
med ett vilddjurs fjät ur ditt hjärtas fjärran
                              ökenhemland.
Du skall kämpa mot mig hårt och maktlöst
som man endast kämpar mot sitt öde, mot sin lycka,
                              mot sin stjärna.
Jag skall le och linda silkestrådar kring mitt finger
och ditt ödes lilla nystan skall jag dölja i min
                              klädnings veck.

WHAT COMES TOMORROW?

What comes tomorrow? Perhaps not you.
Perhaps another embrace and a new touch and
a similar pain . . .
I shall leave you with a knowledge like no other:
I shall return as a part of your own pain.
I shall come to you from another heaven with a
new resolve.
I shall come to you from another star with the
same glance.
I shall come to you with my old yearning in new
features.
I shall come to you a stranger, evil and faithful
with the footsteps of a beast from your heart's far-off
desert home.
You will fight me, hard and powerless,
as you would only fight your fate, your happiness,
your star.
I shall smile and twirl silk threads around my finger
and the little spool of your fate I shall hide in the folds
of my dress.

JUNGFRUNS DÖD

Den skära jungfruns själ tog aldrig miste,
hon visste allting om sig själv,
hon visste ännu mer: om andra och om havet.
Hennes ögon voro blåbär, hennes läppar hallon,
                              hennes händer vax.
Hon dansade för hösten på gulnade mattor,
hon kröp ihop och virvlade och sjönk — och
                              slocknade.
Då hon var borta visste ingen att hennes lik låg kvar
                              i skogen...
Man sökte henne länge bland tärnorna vid stranden,
de sjöngo om små musslor i röda skal.
Man sökte henne länge bland männen vid glasen,
de stredo om blanka knivar ur hertigens kök.
Man sökte henne länge i fältet av konvaljer,
där hennes sko låg kvar sen sista natt.

DEATH OF THE VIRGIN

The lovely virgin's soul was never wrong,
and she knew all about herself,
and she knew even more — about others, and about
the sea.
Her eyes were blueberries, her lips raspberries,
her hands wax.
She danced for the autumn on yellowed carpets,
she crouched and she whirled and she fell — and
was gone.
And when she was gone no one knew that her body
still lay in the forest . . .
They looked for her long among the maidens at
the shore,
singing of small mussels in red shells.
They looked for her long among men at their drink,
fighting over shining knives from the nobleman's
kitchen.
They looked for her long among the lilies of
the valley,
where her shoe still lay from the night before.

MÅNENS HEMLIGHET

Månen vet... att blod skall gjutas här i natt.
På kopparbanor över sjön går en visshet fram:
lik skola ligga bland alarna på en underskön strand.
Månen skall kasta sitt skönaste ljus på den sällsamma
                                        stranden.
Vinden skall gå som ett väckarehorn mellan tallarna:
Vad jorden är skön i denna ensliga stund.

THE MOON'S SECRET

The moon knows... that blood will be spilled
                                    here tonight.
On copper paths across the lake a certainty proceeds:
corpses shall lie among the alders on a wondrous shore.
The moon shall cast its resplendent light on the
                                    mysterious shore.
The wind shall move like a clarion through the pines:
How lovely is the earth at this lonely hour.

VISAN FRÅN MOLNET

Uppå molnen bor allt vad jag behöver:
mina dagsljussäkra aningar, mina blixtljussnabba
                                    vissheter,
och på molnen bor jag själv
— vit, i sol som bländar,
oåtkomligt lycklig vinkande farväl.
Faren väl, min ungdoms gröna skogar.
Odjur där husera —
jag sätter aldrig mer min fot på jorden.
Tog en örn mig upp på sina vingar —
fjärran från världen
har jag fred.
Uppå molnen sitter jag och sjunger —
ned på jorden droppar det kvicksilverhånskratt —
därur växer kittelgräs och flyg-i-luften-blommor.

SONG FROM THE CLOUD

Up on the clouds dwells everything I need:
my daylight-certain intimations, my lightning-quick
truths,
and on the clouds I dwell myself
— white, in blinding sun,
inaccessibly joyful, waving farewell.
Fare thee well, green forests of my youth.
Monsters haunt them now —
I will never set my foot on earth again.
An eagle swept me up on his wings —
far from the world
I am at peace.
Up on the clouds I sit and sing —
onto the earth drips mocking quicksilver laughter —
out of it sprout kettle-grass and flyaway blossoms.

FRAMTIDENS TÅG

Riven ner alla äreportar —
äreportarna äro för låga.
Plats för våra fantastiska tåg!
Tung är framtiden — byggen bryggorna
åt den gränslösa.
Jättar, bären stenar från världens ändar!
Demoner, hällen olja under kittlarna!
Vidunder, mät ut måtten med din stjärt!
Resen er i himlarna, heroiska gestalter,
ödesdigra händer — begynnen edert verk.
Bryten ett stycke ur himmelen. Glödgat.
Vi skola rivas och slåss.
Vi skola kämpa om framtidens manna.
Resen er, härolder,
underligt synliga redan ur fjärran,
dagen behöver ert hanegäll.

MARCHES OF THE FUTURE

Tear down all triumphal arches —
the arches are too low.
Make room for our fantastic marches!
The future is heavy — build the bridges
for eternity.
Giants, carry rocks from the ends of the world!
Demons, pour oil under the cauldrons!
Monster, gauge the measures with your tail!
Rise up in the heavens, heroic figures,
fateful hands — begin your work.
Break loose a piece from heaven. Blazing.
We shall grapple and fight.
We shall struggle for the future's manna.
Rise up, heralds,
even now strangely visible from afar,
the day demands your drumbeat.

GRYNINGEN

Jag tänder mitt ljus över hela Atlanten...
Okända världar, nattliga länder
vaknen emot mig!
Jag är den kalla gryningen.
Jag är dagens obarmhärtiga gudinna
i dimgrå slöjor
med litet tidigt morgonhjälmblänk.
Lätt, lätt löpa mina vindar över haven.
Mitt starka horn hänger vid min sida, jag blåser ej
till uppbrott...
Väntar jag ännu? Har en gud fördrömt sig?
Morgonen stiger röd ur oceanen.

D A Y B R E A K

I shine my light all across the Atlantic...
Unknown worlds, sleeping countries
wake up to me!
I am the cold daybreak.
I am the day's merciless goddess
in veils of haze
with early morning glimmer on my casque.
Lightly, lightly leap my winds across the seas.
My strong horn hangs by my side, I don't blow my
                                    reveille...
Do I still wait? Is a god lost in dreams?
The morning springs red from the ocean.

SAMLEN ICKE GULD
OCH ÄDELSTENAR

Människor,
samlen icke guld och ädelstenar:
fyllen edra hjärtan med längtan,
som bränner likt glödande kol.
Stjälen rubinerna ur änglarnas blick,
dricken kallt vatten ur djävulens pöl.
Människor, samlen icke skatter
som göra er till tiggare;
samlen rikedomar
som giva er konungamakt.
Skänken edra barn en skönhet
den människoögon ej sett,
skänken edra barn en kraft
att bryta himlens portar upp.

GATHER NOT GOLD
AND PRECIOUS STONES

People,
gather not gold and precious stones:
fill your hearts with yearning
that burns like glowing coals.
Steal the rubies from the angels' eyes,
drink cold water from the devil's ditch.
People, gather not treasures
that turn you into beggars;
gather riches
that give you royal powers.
Offer your children a beauty
that human eyes have never seen,
offer your children the power
to break the gates of heaven down.

from *Rosenaltaret*
[The Rose Altar], 1919

S T O R M E N

Nu höljer sig jorden åter i svart. Det är stormen
som stiger ur nattliga klyftor och dansar
allena sin spöklika dans över jorden.
Nu kämpa människor åter — fantom mot fantom.
Vad vilja de, vad veta de? De äro drivna
som boskap ur mörka vrår,
de slita sig ej lös från händelsernas koppelked:
de stora idéerna driva sitt byte framför sig.
Idéerna sträcka förgäves besvärjande armar i stormen,
han, den dansande, vet att han ensam är herre
                                        på jorden.
Världen rår ej om sig själv. Det ena skall störta
som ett brinnande hus, som ett murket träd,
det andra står kvar förskonat av okända händer.
Och solen ser på allt detta, och stjärnorna lysa i
                                        iskalla nätter
och människan smyger sig ensam sin väg mot den
                                        gränslösa lyckan.

T H E   S T O R M

Again, the earth is shrouded in black. It's the storm
that rises from gulfs of the night and dances
alone its ghostlike dance over the earth.
Again, men are fighting — phantom to phantom.
What do they want, what do they know?
                            They are driven
like cattle from dark corners,
they can't tear loose from the chain of events:
the great ideas are chasing their prey before them.
In vain, ideas flail their conjuring arms in the storm,
he, the dancer, knows well that his reign is supreme
                            on the earth.
The world has lost control. One thing shall fall
like a house in flames, like a rotten tree,
another remain intact, spared by unknown hands.
And the sun sees all this, and the stars sparkle in
                            icy nights
and man steals away on his lonely path toward
                            boundless joy.

TILL FOTS FICK JAG GÅ
GENOM SOLSYSTEMEN

Till fots
fick jag gå genom solsystemen,
innan jag fann den första tråden av min röda dräkt.
Jag anar ren mig själv.
Någonstädes i rymden hänger mitt hjärta,
gnistor strömma ifrån det, skakande luften,
till andra måttlösa hjärtan.

ON FOOT I HAD TO WALK
THROUGH THE SOLAR SYSTEMS

On foot
I had to walk through the solar systems,
before I found the first thread of my red dress.
Already, I sense myself.
Somewhere in space hangs my heart,
sparks fly from it, shaking the air,
to other reckless hearts.

VAR BO GUDARNA?

Var bo gudarna? I mitt hjärta,
i mitt trasade, smärtsamt sälla hjärta,
då sången höjer sig.
O gudar, vad kan en människa i sina få ögonblick!
Jag har känt eder hela makt...

Gudar, I kommen till mig...
Sedan ligger jag trött och drömmer om er...
O gudar, I besöken mig alla dagar,
då när jag är full av makt,
när mitt blod samlat sig att höra eder stämma
I visken ord i mina öron,
oförgängliga ord som diamanterna på edra tår.
O gudar, gudar!
I all min svaghet finner jag mäktiga ord —
ord för eder!
Är icke världen outsäglig,
sen I berörden tingen med förtrollade händer?

Ingen har ännu sett världen.
I höljden den bak förhängen

En stråle ljus föll på min arma väg.

WHERE DO THE GODS LIVE?

Where do the gods live? In my heart,
in my torn, painfully blissful heart,
when the song surges up.
Oh gods, what can a mortal accomplish in her
                                    few moments!
I have felt all your power . . .

Gods, you come to me . . .
Then, weary, I lie dreaming of you . . .
Oh gods, you visit me every day,
just when I am full of power,
when my blood has rallied to hear your voice,
you whisper words into my ears,
immortal words like the diamonds on your toes.
Oh gods, gods!
In all my weakness I find mighty words —
words for you!
Is the world not wondrous
since you touched all things with enchanted hands?

No one has yet seen the world.
You concealed it behind curtains

A ray of light fell upon my wretched path.

VERKTYGETS KLAGAN

Livet sjönk för mig tillbaka i blå rök.
Jag står höjd över allt
med intet över mig än den hotande kopparhimmel,
den jag regerar.
Varför lyftes denna börda på människoaxlar?
Varför slöts mitt hjärta i järnpansar?
Får jag icke vara människa?
Nattsvart sorg ligger vägen bakom mig,
mellan rosa skuggor irrar jag en hemlös gud.

Stycke för stycke bröt du ur mitt hjärta,
                              övermäktiga gud,
och gjorde mig till ditt redskap.
Jag tillhör dig med kropp och själ
och med resten av mitt förpantade liv.
Jag gråter. Tårarna falla där jag går,
den stenhårdes tårar.
Var finner min mun ännu ord till klagan
i obevekligt överflöd?

THE INSTRUMENT'S LAMENT

Life was fading from me into bluish haze.
I tower over everything
with not a thing above me but the menacing
                                    copper sky
over which I rule.
Why was this burden placed on human shoulders?
Why was my heart encased in rigid armor?
Am I not allowed to be human?
Darkest sorrow shrouds the road behind me,
I wander among rosy shadows like a homeless god.

Piece after piece you extracted from my heart,
                                    all-powerful god,
and made me into your instrument.
To you I belong with body and soul
and with the rest of my borrowed time.
I cry. The tears fall where I walk,
the tears of one hard as stone.
Where could I still find words of lament
in this boundless abundance?

Mina nätter och dagar
äro skrivna i din bok, o gud.
Intet tillhör mig på jorden,
icke så mycket som en blomma.
O att vara den rikaste!
Att ha det skrivet på sin panna
att leka ödets underliga lek
på nödens bud.

My nights and days
are written in your book, oh god.
Nothing is mine on earth,
not even one single flower.
But oh, to be the richest!
To have this inscribed on one's brow,
to play destiny's strange game
yet have no choice.

VÅRMYSTERIUM

Min syster
du kommer som en vårvind över våra dalar . . .
Violerna i skuggan dofta ljuv uppfyllelse.
Jag vill föra dig till skogens ljuvaste vrå:
där skola vi bikta för varandra, hur vi sågo Gud.

VERNAL MYSTERY

My sister,
you sweep like a spring breeze across our valleys . . .
The violets in the shade are fragrant with fulfillment.
I want to take you to the loveliest spot in the forest:
there, we will confess to each other how we saw God.

I MÖRKRET

Jag fann ej kärleken. Jag mötte ingen.
Skälvande gick jag förbi Zarathustras grav
                                    i höstliga nätter:
vem hör mig mer på jorden?
Då lade sig lätt en arm om mitt liv —
jag fann en syster...
Jag rycker henne i de gyllne lockarna —
är det du omöjliga?
Är det du?
Tvivlande blickar jag henne i ansiktet...
Leka gudarna så med oss?

IN DARKNESS

I did not find love. I met no one.
Trembling, I passed the tomb of Zarathustra
                                    on autumn nights:
who hears me now on earth?
Just then: an arm, so light, around my waist —
I found a sister . . .
I pull on her golden locks —
is it you, impossible one?
Is it you?
Doubting, I look into her face . . .
Do the gods play with us this way?

from *Framtidens skugga*
[Future's Shadow], 1920

P L A N E T E R N A

Vilda jord som rullar framåt i brännande,
                              skärande rymd,
säll att luften smattrar mot din kind,
säll att farten vänder om dig.
Planeter vilja ingenting annat än snabbheten
                              uti sin färd.
Världsalltets stränder blinka som frågor.
Snabbare, raskare, obarmhärtigare, vältrande sig
                              i underbara öden,
rullar planeternas oräkneliga skara förbi
mot ett ljust sken i väster —
möjlighetens enda utstakade väg.

THE PLANETS

Wild earth, rolling on through fiery, scorching space,
thrilled that air is drumming at your cheek,
thrilled that speed is spinning you around.
Planets want nothing but the swiftness of their journey.
The shores of the universe flash by like questions.
Faster, rasher, more recklessly, whirling in wonderful
                              destinies,
the endless host of planets rolls by
toward a bright light in the west —
the one clear path of opportunity.

FRAMTIDENS SKUGGA

Jag anar dödens skugga.
Jag vet att våra öden ligga i hopar på nornornas bord.
Jag vet att icke en droppe regn sig suger i jorden
som icke är skriven i de eviga tidernas bok.
Jag vet så visst, som att solen går upp,
att jag aldrig skall skåda det andlösa ögonblick, då
                                    hon står i zenit.
Framtiden kastar på mig sin saliga skugga;
den är ingenting annat än flödande sol:
genomborrad av ljus skall jag dö,
då jag trampat all slump med min fot, skall jag leende
                        vända mig bort ifrån livet.

FUTURE'S SHADOW

I sense death's shadow.
I know that our fates lie piled up on the table of
                                        the Norns.
I know that not one single drop of rain soaks down
                                        into the earth
that has not been entered in the book of eternity.
I know, as surely as I know the sun will rise,
that I will never see the breathless moment when she
                                        is at the zenith.
The future casts on me its blissful shadow;
it is nothing but radiant sun:
pierced through by light will I die,
when I have trampled all that is chance, I shall turn
                                        away smiling from life.

I N S T I N K T

Min kropp är ett mysterium.
Så länge detta bräckliga ting lever
skolen I känna dess makt.
Jag skall frälsa världen.
Därför ilar Eros blod i mina läppar
och Eros guld i mina trötta lockar.
Jag behöver blott skåda,
trött eller olustig: jorden är min.
Då jag ligger trött på mitt läger,
vet jag: i denna tröttnade hand är världens öde.
Det är makten, som darrar i min sko,
det är makten, som rör sig i min klännings veck,
det är makten, för vilken ej avgrund finns, som står
                                    framför eder.

I   N   S   T   I   N   C   T

My body is a mystery.
As long as this brittle thing is alive
you will feel its power.
I will save the world.
That is why Eros' blood is coursing through my lips
and Eros' gold runs through my tired curls.
I need only to look,
weary or in pain: the earth is mine.
When I lie exhausted on my bed
I know: in this weakened hand lies the fate of
                                        the earth.
It is power that trembles in my shoe,
it is power that moves in the folds of my dress,
and it is power, fearing no abyss, that stands
                                        before you.

MATERIALISM

För att icke dö måste jag vara viljan till makt.
För att undgå atomernas kamp under upplösning.
Jag är en kemisk massa. Jag vet så väl,
jag tror icke på sken och själ,
lekarnas lek är mig så främmande.
Lekarnas lek, jag leker dig och tror ej ett ögonblick.
Lekarnas lek, du smakar gott, du doftar underbart,
dock finnes ingen själ och har det aldrig funnits
                                            någon själ.
Det är sken, sken, sken och idel lek.

M A T E R I A L I S M

In order not to die I must be the will to power.
In order to avoid the struggle of atoms dissolving.
I am a chemical mass. I know so well,
I have no faith in illusion and soul,
the game of games is alien to me.
Game of games, I play you and do not for one moment
                                        believe.
Game of games, you taste so good, you smell so
                                        wonderful,
and yet there is no soul and there has never been
                                        a soul.
Illusion, illusion it is, and only a game.

H A M L E T

Vad vill mitt dödliga hjärta? Mitt dödliga hjärta är
        tyst. Mitt dödliga hjärta vill ingenting.
Här ligger hela jorden. Du vänder dig bort i kramp.
Ett trollspö har rört vid denna jord och den blev stoft.
Och där jag sitter på ruiner,
vet jag att du kommer, oförutsedda stund.
Jag vet att du väntar bakom en reglad dörr,
att jag är nära dig och du kan räcka mig din hand.
Det finnes intet val för mig,
sanning, jag följer dig om du går i dimmornas land.
Sanning, sanning, bor du i likrum bland ormar
                    och stoft?
Sanning, bor du där, där allt är vad jag hatar?
Sanning, lysa bedrövliga lyktor din väg?

H A M L E T

What does my mortal heart desire? My mortal heart is
                quiet. My mortal heart wants nothing.
Here lies the whole world. You turn away with
                       a shudder.
A magic wand has touched this earth and turned it
                        into dust.
And as I sit here among ruins,
I know that you will arrive, unforeseen moment.
I know that you are waiting behind a bolted door,
that I am close and you can give me your hand.
There is no choice for me,
truth, I will follow you even if you walk in the
                      fog-shrouded land.
Truth, truth, do you live in the morgue among
                      snakes and dust?
Truth, do you reside with all the things I hate?
Truth, do deplorable lanterns light your way?

HYACINTEN

I

Jag står så tapper, så förväntansfull och säll.
Skall ödet kasta mig med snöbollar?
Må snön rinna i mitt bruna hår,
må snön kyla min saliga hals.
Jag höjer huvudet. Jag har min hemlighet.
                                    Vad rår med mig?
Jag är obruten, en hyacint som ej kan dö.
Jag är en vårblomma med skära klockor
som stiger full av markens sorglösa triumf:
leva oöverträffligt, säkert, utan motstånd i världen.

THE HYACINTH

I

I stand here courageous, in joyful anticipation.
Will fate throw snowballs at me?
May the snow seep through my brown hair,
may the snow cool my exuberant neck.
I raise my head. I have my secret.
                              What could master me?
I am unbroken, a hyacinth that cannot die.
I am a spring flower with pink bells
rising full of earth's carefree triumph:
to live unsurpassed, certain, without resistance
                              in the world.

II

Jag växer upp en hyacint ur järnhård grund.
Bryt mig med dina mäktiga, saftiga händer — Liv.
Jag kysser din hand som är saftigare än jag.
Bryt mig till smycke åt en drottning.
Om det finnes en sorglös och obekymrad drottning,
må hon hålla hyacinten som en spira i sin hand,
vårens sköra symbol, besläktad med solen.

II

I emerge a hyacinth out of hard-frozen ground.
Break me off with your mighty hands — Life.
I kiss your hand, more succulent than I.
Break me off as a jewel for a queen.
If there be a carefree and lighthearted queen,
may she hold the hyacinth as a sceptre in her hand,
spring's fragile symbol, related to the sun.

ANIMALISK HYMN

Den röda solen går upp
utan tankar
och är lika mot alla.
Vi fröjda oss åt solen såsom barn.
Det kommer en dag då vårt stoft skall sönderfalla,
det är detsamma när det sker.
Nu lyser solen in i våra hjärtans innersta vrå
fyllande allt med tanklöshet
stark som skogen, vintern och havet.

ANIMALISTIC HYMN

The red sun rises
without thought
and treats everyone the same.
We rejoice at the sun like children.
There will come a day when our ashes will crumble,
it does not matter when it is.
Right now the sun shines deep into our hearts
filling all with oblivion
strong as the forest, the winter, and the sea.

Late poems from *Landet som icke är*
[The Land That Is Not], 1925

MIN BARNDOMS TRÄD

Min barndoms träd stå höga i gräset
och skaka sina huvuden: vad har det blivit av dig?
Pelarrader stå som förebråelser: ovärdig går du
                                    under oss!
Du är barn och bör kunna allt,
varför är du fjättrad i sjukdomens band?
Du är bliven människa, främmande förhatlig.
Då du var barn förde du långa samtal med oss,
din blick var vis.
Nu ville vi säga dig ditt livs hemlighet:
nyckeln till alla hemligheter ligger i gräset
                                    i hallonbacken.
Vi ville stöta dig för pannan, du sovande,
vi ville väcka dig, döda, ur din sömn.

MY CHILDHOOD TREES

My childhood trees stand tall in the grass
and shake their heads: what has become of you?
Rows of pillars stand like reproaches: you're unworthy
                              to walk beneath us!
You're a child and should know everything,
so why are you fettered by your illness?
You have become a human, alien and hateful.
As a child, you talked with us for hours,
your eyes were wise.
Now we would like to tell you the secret of your life:
the key to all secrets lies in the grass by the
                              raspberry patch.
We want to shake you up, you sleeper,
we want to wake you, dead one, from your sleep.

O HIMMELSKA KLARHET

O himmelska klarhet på barnets panna —
dess ängel ser Fadren i himmelen.

Och ljuset som strömmar ur helgonets ögon är
                              mörker invid
den friden som vilar på barnets panna, den
                              himmelska frid.

Och glorian som skiner kring helgonets änne är icke
                              så tydlig och stor,
som kronan som kröner ett människobarn i späda år.

Och marken och blomstren och stenarna tala
till barnet sitt språk,
och barnet det svarar och jollrar tillbaka
på skapelsens språk.

Och Gud är dold i den minsta blomma
och tingen förkunna hans namn.
Men människohjärtat som utstötts av Fadren
vet icke hur nära han bor.

OH HEAVENLY CLARITY

Oh heavenly clarity on the child's brow —
its angel sees the Father in heaven.

And the light that shines from the eyes of a saint is
                                       darkness compared
to the peace that rests on the brow of a child, that
                                       heavenly peace.

And the halo that shines round the face of a saint is
                               not so clear nor so large
as the crown that crowns a human child in
                                   tender years.

And the earth and the flowers and the stones speak
to the child in their voice,
and the child responds and crows back
in the tongue of creation.

And God is hidden in the smallest flower
and all things praise His name.
But our own hearts, where our Father was once,
do not know how close by He lives.

M Å N E N

Vad allting som är dött är underbart
och outsägligt:
ett dött blad och en död människa
och månens skiva.
Och alla blommor veta en hemlighet
och skogen den bevarar,
det är att månens kretsgång kring vår jord
är dödens bana.
Och månen spinner sin underbara väv,
den blommor älska,
och månen spinner sitt sagolika nät
kring allt som lever.
Och månens skära mejar blommor av
i senhöstnätter,
och alla blommor vänta på månens kyss
i ändlös längtan.

T H E   M O O N

How all things dead are wonderful
and unspeakable:
a dead leaf and a dead body
and the crescent moon.
And every flower knows a secret
and the forest guards it:
the circle of the moon around our earth
is the path of death.
And the moon spins its miraculous fabric
that flowers love,
and the moon weaves its wonderful web
around all that lives.
And the moon's scythe mows flowers down
in late autumn nights,
and all flowers await the moon's kiss
in endless longing.

NOVEMBERMORGON

De första flingorna föllo.
Där vågorna skrivit sin runskrift i flodbäddens sand
vi andäktigt gingo. Och stranden sade till mig:
Se här har du vandrat som barn och jag är alltid
                              densamma.
Och alen som står vid vattnet är alltid densamma.
Säg var har du vandrat i främmande land och lärt dig
                              stympareseder?
Och vad har du vunnit? Alls ingenting.
På denna mark skola dina fötter träda,
här är din trollkrets, från alarnas hängen
kommer dig visshet och gåtornas svar.
Och du skall prisa Gud som låter dig stå i sitt tempel
bland träden och stenarna.
Och du skall prisa Gud som låtit fjällen falla
från dina ögon.
All fåfäng visdom kan du akta ringa,
ty nu äro tallen och ljungen dina lärare.
Tag hit de falska profeter, de böcker som ljuga,
vi tända i dälden vid vattnet ett lustigt fladdrande bål.

NOVEMBER MORNING

The first snowflakes were falling.
Where waves had etched their runes in the riverbed's
                                    sand
we quietly walked. And the shore said to me:
Look, here you have walked as a child and I am always
                                    the same.
And the alder that stands down by the water is always
                                    the same.
Tell me, where have you walked in those foreign lands
                and learned how to twist and distort?
And what have you gained? Nothing at all.
This is the ground that your feet shall tread,
this is your magic circle, and the alder's catkins
offer you certainty and the riddles' clues.
And you shall praise God, who lets you stand in
                                    His temple
among the trees and stones.
And you shall praise God, who let the scales fall
from your eyes.
All empty knowledge you can disregard
for now the pine and heather are your teachers.
Bring the false prophets here, those books that lie,
and down by the water's edge we'll light a merrily
                                    blazing fire.

DET FINNES INGEN...

Det finnes ingen som har tid i världen
än Gud allena.
Och därför komma alla blommor till Honom
och den sista bland myror.

Förgätmigejen ber Honom om högre glans
i sina blå ögon
och myran ber honom om större kraft
att fatta strået.
Och bina be honom om starkare segersång
bland purpurröda rosor.

Och Gud är med i alla sammanhang.
När gumman oväntat mötte sin katt vid brunnen
och katten sin matmor.
Det var en stor glädje för dem båda
men allrastörst var den att Gud hade fört dem samman
och velat dem denna underbara vänskap
i fjorton år.

THERE IS NO ONE...

There is no one in this world who has time
but God alone.
And therefore all flowers come to Him
and the least among the ants.

The forget-me-not asks Him for a stronger brilliance
in her blue eyes
and the ant asks Him for more strength
to grip the straw.
And the bees ask Him for a stronger victory song
among scarlet roses.

And God is present in everything.
When the old woman unexpectedly met her cat at
                                    the well
and the cat his mistress
the joy was great for both of them
but greater still was their knowledge that God had
                                    brought them together
and had wished them this wonderful friendship
for fourteen years.

Och under tiden flög en rödstjärt ur rönnen
                                    vid brunnen
glad att Gud ej låtit den falla i jägarens klor.
Men en liten mask såg i en dunkel dröm
att månskäran klöv hans väsen i två delar:
den ena var intet,
den andra var allting och Gud själv.

Meanwhile, a redstart flew out of the mountain ash
                                  by the well
happy that God had not allowed the hunter to
                                  catch him.
But in a vague dream a little worm saw
how the crescent moon split his being into two:
one was nothing,
the other one was everything and God himself.

LANDET SOM ICKE ÄR

Jag längtar till landet som icke är,
ty allting som är, är jag trött att begära.
Månen berättar mig i silverne runor
om landet som icke är.
Landet, där all vår önskan blir underbart uppfylld,
landet, där alla våra kedjor falla,
landet, där vi svalka vår sargade panna
i månens dagg.
Mitt liv var en het villa.
Men ett har jag funnit och ett har jag verkligen
                                    vunnit —
vägen till landet som icke är.

I landet som icke är
där går min älskade med gnistrande krona.
Vem är min älskade? Natten är mörk
och stjärnorna dallra till svar.
Vem är min älskade? Vad är hans namn?
Himlarna välva sig högre och högre,
och ett människobarn drunknar i ändlösa dimmor
och vet intet svar.
Men ett människobarn är ingenting annat än visshet.
Och det sträcker ut sina armar högre än alla himlar.
Och det kommer ett svar: Jag är den du älskar och
                                    alltid skall älska.

THE LAND THAT IS NOT

I long for the land that is not,
because all that exists, I'm too weary to want.
The moon tells me in silvery runes
about the land that is not.
The land where all our dreams are wondrously fulfilled,
the land where all our chains fall,
the land where we cool our bleeding brow
in the dew of the moon.
My life was a hot illusion.
But one thing I have found and one thing I have
                                        really won —
the way to the land that is not.

In the land that is not
my beloved walks with brilliant crown.
Who is my beloved? The night is dark
and the stars quiver in response.
Who is my beloved? What is his name?
The heavens arch higher and higher,
and an earthly child drowns in endless fogs
and knows no answer.
But an earthly child is nothing but certainty.
And it stretches its arms higher than all the heavens.
And an answer comes: I am the one you love and
                                        will always love.

ENGLISH INDEX

SWEDISH INDEX

182

BIBLIOGRAPHY

Works by Edith Södergran:

Dikter [Poems] (Helsingfors [Helsinki], Finland: Holger
    Schildts Förlagsaktiebolag, 1916)

Septemberlyran [The September Lyre] (Helsingfors: Schildts,
    1918)

Rosenaltaret [The Rose Altar] (Helsingfors: Schildts, 1919)

Brokiga iakttagelser [Motley Observations] (Helsingfors:
    Schildts, 1919)

Framtidens skugga [Future's Shadow] (Helsingfors: Schildts,
    1919)

Landet som icke är [The Land That Is Not] (Helsingfors:
    Schildts, 1925)

Samlade dikter [Collected Poems], ed. Gunnar Tideström
    (Helsingfors: Schildts, 1949 and later editions)

Ediths brev [Edith's Letters], ed. Hagar Olsson (Helsingfors:
    Schildts, 1956)

Samlade skrifter 1: Dikter och aforismer [Collected Works 1:
    Poems and Aphorisms), ed. Holger Lillqvist (Helsingfors:
    Schildts, 1990)

STINA KATCHADOURIAN, M.A. Stanford '67, is a writer, journalist, and translator. She comes from Finland's Swedish-speaking minority and has been living at Stanford University in California since 1966. From 1980 to 1986, Katchadourian was an Affiliated Scholar at Stanford's Institute for Research on Women and Gender, where she worked on the first edition of this book. In 1984 she was an Artist-in-Residence at the Djerassi Foundation in Woodside, California, where she wrote a play based on Södergran's life. This one-act play, *Hallonbacken* [The Raspberry Patch], has been produced in California, in Finland, Sweden, Norway, and Northern Ireland, and was performed in Russian during the Södergran symposium in St. Petersburg in June 1992.

Katchadourian's translations of Södergran, as well as of other Scandinavian poets, have appeared in numerous journals and anthologies. Her translation of Märta Tikkanen's bestselling book of poetry, *The Love Story of the Century*, was published by Capra Press in 1984. In 1993 a children's book written by Katchadourian will be published in Swedish and Finnish. She is currently working on a book based on the memoirs of her late Armenian mother-in-law.

Fjord International Poetry Series

Great poetry from around the world.

No. 1
Love & Solitude: Selected Poems 1916–1923
by Edith Södergran
Bilingual Centennial Edition
Translated from the Finland-Swedish by Stina Katchadourian
$10.95 trade paperback

No. 2
The Dear Dance of Eros
by Mary Mackey
$7.95 trade paperback

No. 3
Alphabet
by Inger Christensen
Translated from the Danish by Susanna Nied
Bilingual Edition
$10.95 trade paperback, $21.95 clothbound

No. 4
War
by Klaus Rifbjerg
Translated from the Danish by Steven T. Murray & the Author
Bilingual Edition
$10.95 trade paperback, $21.95 clothbound
(forthcoming)

Other translations from Fjord Press

Night Roamers and Other Stories by Knut Hamsun
Translated from the Norwegian by Tiina Nunnally
$10.95 trade paperback, $21.95 clothbound

Pelle the Conqueror, Volume 1: Childhood
Pelle the Conqueror, Volume 2: Apprenticeship
by Martin Andersen Nexø
Translated from the Danish by Steven T. Murray & Tiina Nunnally
each $9.95 trade paperback, $19.95 clothbound

Niels Lyhne by Jens Peter Jacobsen
Translated from the Danish by Tiina Nunnally
$19.95 clothbound
1991 PEN USA West Translation Prize winner

The Faces by Tove Ditlevsen
Translated from the Danish by Tiina Nunnally
$9.95 trade paperback, $19.95 clothbound

Idealists by Hans Scherfig
Translated from the Danish by Frank Hugus
$9.95 trade paperback, $19.95 clothbound

The Missing Bureaucrat by Hans Scherfig
Translated from the Danish by Frank Hugus
$8.95 trade paperback, $17.95 clothbound

Stolen Spring by Hans Scherfig
Translated from the Danish by Frank Hugus
$7.95 trade paperback

Another Metamorphosis and Other Fictions by Villy Sørensen
Translated from the Danish by Tiina Nunnally & Steven T. Murray
$8.95 trade paperback, $17.95 clothbound

Witness to the Future by Klaus Rifbjerg
Translated from the Danish by Steven T. Murray
$8.95 trade paperback, $17.95 clothbound

Laterna Magica by William Heinesen
Translated from the Danish by Tiina Nunnally
$7.95 trade paperback, $15.95 clothbound

Please write for a free catalog:
Fjord Press, P.O. Box 16349, Seattle, WA 98116

Typeset in 12-point Goudy Old Style
at Fjord Press, Seattle, Washington